GUEST BOOK

CELEBRATING

DATE

PLACE

GUEST NAME

_____

_____

MESSAGE TO TREASURE

_____

_____

_____

_____

GUEST NAME

_____

_____

MESSAGE TO TREASURE

_____

_____

_____

_____

GUEST NAME

_____

_____

MESSAGE TO TREASURE

_____

_____

_____

_____

GUEST NAME

_____

_____

MESSAGE TO TREASURE

_____

_____

_____

_____

GUEST NAME

_____

_____

MESSAGE TO TREASURE

_____

_____

_____

_____

_____

GUEST NAME

_____

_____

MESSAGE TO TREASURE

_____

_____

_____

_____

_____

GUEST NAME

_____

_____

MESSAGE TO TREASURE

_____

_____

_____

_____

_____

GUEST NAME

_____

_____

MESSAGE TO TREASURE

_____

_____

_____

_____

_____

GUEST NAME

_____

MESSAGE TO TREASURE

_____

_____

_____

_____

GUEST NAME

_____

MESSAGE TO TREASURE

_____

_____

_____

_____

GUEST NAME

_____

MESSAGE TO TREASURE

_____

_____

_____

_____

GUEST NAME

_____

MESSAGE TO TREASURE

_____

_____

_____

_____

GUEST NAME

_____

_____

MESSAGE TO TREASURE

_____

_____

_____

_____

GUEST NAME

_____

_____

MESSAGE TO TREASURE

_____

_____

_____

_____

GUEST NAME

_____

_____

MESSAGE TO TREASURE

_____

_____

_____

_____

GUEST NAME

_____

_____

MESSAGE TO TREASURE

_____

_____

_____

_____

GUEST NAME

_____

_____

MESSAGE TO TREASURE

_____

_____

_____

_____

GUEST NAME

_____

_____

MESSAGE TO TREASURE

_____

_____

_____

_____

GUEST NAME

_____

_____

MESSAGE TO TREASURE

_____

_____

_____

_____

GUEST NAME

_____

_____

MESSAGE TO TREASURE

_____

_____

_____

_____

GUEST NAME

_____

_____

MESSAGE TO TREASURE

_____

_____

_____

_____

_____

GUEST NAME

_____

_____

MESSAGE TO TREASURE

_____

_____

_____

_____

_____

GUEST NAME

_____

_____

MESSAGE TO TREASURE

_____

_____

_____

_____

_____

GUEST NAME

_____

_____

MESSAGE TO TREASURE

_____

_____

_____

_____

_____

GUEST NAME

_____

_____

MESSAGE TO TREASURE

_____

_____

_____

_____

GUEST NAME

_____

_____

MESSAGE TO TREASURE

_____

_____

_____

_____

GUEST NAME

_____

_____

MESSAGE TO TREASURE

_____

_____

_____

_____

GUEST NAME

_____

_____

MESSAGE TO TREASURE

_____

_____

_____

_____

GUEST NAME

_____

_____

MESSAGE TO TREASURE

_____

_____

_____

_____

GUEST NAME

_____

_____

MESSAGE TO TREASURE

_____

_____

_____

_____

GUEST NAME

_____

_____

MESSAGE TO TREASURE

_____

_____

_____

_____

GUEST NAME

_____

_____

MESSAGE TO TREASURE

_____

_____

_____

_____

GUEST NAME

_____

_____

MESSAGE TO TREASURE

_____

_____

_____

_____

_____

GUEST NAME

_____

_____

MESSAGE TO TREASURE

_____

_____

_____

_____

_____

GUEST NAME

_____

_____

MESSAGE TO TREASURE

_____

_____

_____

_____

_____

GUEST NAME

_____

_____

MESSAGE TO TREASURE

_____

_____

_____

_____

_____

GUEST NAME

_____

_____

MESSAGE TO TREASURE

_____

_____

_____

_____

_____

GUEST NAME

_____

_____

MESSAGE TO TREASURE

_____

_____

_____

_____

_____

GUEST NAME

_____

_____

MESSAGE TO TREASURE

_____

_____

_____

_____

GUEST NAME

_____

_____

MESSAGE TO TREASURE

_____

_____

_____

_____

Guest Name

_____

_____

Message To Treasure

_____

_____

_____

_____

_____

Guest Name

_____

_____

Message To Treasure

_____

_____

_____

_____

_____

Guest Name

_____

_____

Message To Treasure

_____

_____

_____

_____

_____

Guest Name

_____

_____

Message To Treasure

_____

_____

_____

_____

_____

GUEST NAME

_____

_____

MESSAGE TO TREASURE

_____

_____

_____

_____

GUEST NAME

_____

_____

MESSAGE TO TREASURE

_____

_____

_____

_____

GUEST NAME

_____

_____

MESSAGE TO TREASURE

_____

_____

_____

_____

GUEST NAME

_____

_____

MESSAGE TO TREASURE

_____

_____

_____

_____

GUEST NAME

_____

_____

MESSAGE TO TREASURE

_____

_____

_____

_____

_____

GUEST NAME

_____

_____

MESSAGE TO TREASURE

_____

_____

_____

_____

_____

GUEST NAME

_____

_____

MESSAGE TO TREASURE

_____

_____

_____

_____

_____

GUEST NAME

_____

_____

MESSAGE TO TREASURE

_____

_____

_____

_____

_____

GUEST NAME

_____

_____

MESSAGE TO TREASURE

_____

_____

_____

_____

GUEST NAME

_____

_____

MESSAGE TO TREASURE

_____

_____

_____

_____

GUEST NAME

_____

_____

MESSAGE TO TREASURE

_____

_____

_____

_____

GUEST NAME

_____

_____

MESSAGE TO TREASURE

_____

_____

_____

_____

Guest Name

_____
_____

Message To Treasure

_____
_____
_____
_____
_____

Guest Name

_____
_____

Message To Treasure

_____
_____
_____
_____
_____

Guest Name

_____
_____

Message To Treasure

_____
_____
_____
_____
_____

Guest Name

_____
_____

Message To Treasure

_____
_____
_____
_____
_____

GUEST NAME

_____

_____

MESSAGE TO TREASURE

_____

_____

_____

_____

_____

GUEST NAME

_____

_____

MESSAGE TO TREASURE

_____

_____

_____

_____

_____

GUEST NAME

_____

_____

MESSAGE TO TREASURE

_____

_____

_____

_____

_____

GUEST NAME

_____

_____

MESSAGE TO TREASURE

_____

_____

_____

_____

_____

GUEST NAME

_____

_____

MESSAGE TO TREASURE

_____

_____

_____

_____

_____

GUEST NAME

_____

_____

MESSAGE TO TREASURE

_____

_____

_____

_____

GUEST NAME

_____

_____

MESSAGE TO TREASURE

_____

_____

_____

_____

_____

GUEST NAME

_____

_____

MESSAGE TO TREASURE

_____

_____

_____

_____

GUEST NAME

_____

_____

MESSAGE TO TREASURE

_____

_____

_____

_____

_____

GUEST NAME

_____

_____

MESSAGE TO TREASURE

_____

_____

_____

_____

_____

GUEST NAME

_____

_____

MESSAGE TO TREASURE

_____

_____

_____

_____

_____

GUEST NAME

_____

_____

MESSAGE TO TREASURE

_____

_____

_____

_____

_____

GUEST NAME

_____

_____

MESSAGE TO TREASURE

_____

_____

_____

_____

GUEST NAME

_____

_____

MESSAGE TO TREASURE

_____

_____

_____

_____

GUEST NAME

_____

_____

MESSAGE TO TREASURE

_____

_____

_____

_____

GUEST NAME

_____

_____

MESSAGE TO TREASURE

_____

_____

_____

_____

GUEST NAME

_____

_____

MESSAGE TO TREASURE

_____

_____

_____

_____

_____

GUEST NAME

_____

_____

MESSAGE TO TREASURE

_____

_____

_____

_____

_____

GUEST NAME

_____

_____

MESSAGE TO TREASURE

_____

_____

_____

_____

GUEST NAME

_____

_____

MESSAGE TO TREASURE

_____

_____

_____

_____

GUEST NAME

_____

_____

MESSAGE TO TREASURE

_____

_____

_____

_____

GUEST NAME

_____

_____

MESSAGE TO TREASURE

_____

_____

_____

_____

GUEST NAME

_____

_____

MESSAGE TO TREASURE

_____

_____

_____

_____

GUEST NAME

_____

_____

MESSAGE TO TREASURE

_____

_____

_____

_____

GUEST NAME

_____

_____

MESSAGE TO TREASURE

_____

_____

_____

_____

GUEST NAME

_____

_____

MESSAGE TO TREASURE

_____

_____

_____

_____

GUEST NAME

_____

_____

MESSAGE TO TREASURE

_____

_____

_____

_____

GUEST NAME

_____

_____

MESSAGE TO TREASURE

_____

_____

_____

_____

GUEST NAME

_____

_____

MESSAGE TO TREASURE

_____

_____

_____

_____

GUEST NAME

_____

_____

MESSAGE TO TREASURE

_____

_____

_____

_____

GUEST NAME

_____

_____

MESSAGE TO TREASURE

_____

_____

_____

_____

GUEST NAME

_____

_____

MESSAGE TO TREASURE

_____

_____

_____

_____

GUEST NAME

_____

_____

MESSAGE TO TREASURE

_____

_____

_____

_____

GUEST NAME

_____

_____

MESSAGE TO TREASURE

_____

_____

_____

_____

GUEST NAME

_____

_____

MESSAGE TO TREASURE

_____

_____

_____

_____

GUEST NAME

_____

_____

MESSAGE TO TREASURE

_____

_____

_____

_____

Guest Name

_____

_____

Message To Treasure

_____

_____

_____

_____

Guest Name

_____

_____

Message To Treasure

_____

_____

_____

_____

Guest Name

_____

_____

Message To Treasure

_____

_____

_____

_____

Guest Name

_____

_____

Message To Treasure

_____

_____

_____

_____

Guest Name

_____

_____

Message To Treasure

_____

_____

_____

_____

_____

Guest Name

_____

_____

Message To Treasure

_____

_____

_____

_____

Guest Name

_____

_____

Message To Treasure

_____

_____

_____

_____

Guest Name

_____

_____

Message To Treasure

_____

_____

_____

_____

GUEST NAME

_____

_____

MESSAGE TO TREASURE

_____

_____

_____

_____

GUEST NAME

_____

_____

MESSAGE TO TREASURE

_____

_____

_____

_____

GUEST NAME

_____

_____

MESSAGE TO TREASURE

_____

_____

_____

_____

GUEST NAME

_____

_____

MESSAGE TO TREASURE

_____

_____

_____

_____

Guest Name

_____

_____

Message To Treasure

_____

_____

_____

_____

_____

Guest Name

_____

_____

Message To Treasure

_____

_____

_____

_____

_____

Guest Name

_____

_____

Message To Treasure

_____

_____

_____

_____

_____

Guest Name

_____

_____

Message To Treasure

_____

_____

_____

_____

_____

GUEST NAME

_____

_____

MESSAGE TO TREASURE

_____

_____

_____

_____

GUEST NAME

_____

_____

MESSAGE TO TREASURE

_____

_____

_____

_____

GUEST NAME

_____

_____

MESSAGE TO TREASURE

_____

_____

_____

_____

GUEST NAME

_____

_____

MESSAGE TO TREASURE

_____

_____

_____

_____

GUEST NAME

_____

_____

MESSAGE TO TREASURE

_____

_____

_____

_____

GUEST NAME

_____

_____

MESSAGE TO TREASURE

_____

_____

_____

_____

GUEST NAME

_____

_____

MESSAGE TO TREASURE

_____

_____

_____

_____

GUEST NAME

_____

_____

MESSAGE TO TREASURE

_____

_____

_____

_____

GUEST NAME

_____

_____

MESSAGE TO TREASURE

_____

_____

_____

_____

_____

GUEST NAME

_____

_____

MESSAGE TO TREASURE

_____

_____

_____

_____

_____

GUEST NAME

_____

_____

MESSAGE TO TREASURE

_____

_____

_____

_____

_____

GUEST NAME

_____

_____

MESSAGE TO TREASURE

_____

_____

_____

_____

_____

GUEST NAME

_____

_____

MESSAGE TO TREASURE

_____

_____

_____

_____

_____

GUEST NAME

_____

_____

MESSAGE TO TREASURE

_____

_____

_____

_____

_____

GUEST NAME

_____

_____

MESSAGE TO TREASURE

_____

_____

_____

_____

_____

GUEST NAME

_____

_____

MESSAGE TO TREASURE

_____

_____

_____

_____

_____

Guest Name

_____

_____

Message To Treasure

_____

_____

_____

_____

Guest Name

_____

_____

Message To Treasure

_____

_____

_____

_____

Guest Name

_____

_____

Message To Treasure

_____

_____

_____

_____

Guest Name

_____

_____

Message To Treasure

_____

_____

_____

_____

Guest Name

_____

_____

Message To Treasure

_____

_____

_____

_____

_____

Guest Name

_____

_____

Message To Treasure

_____

_____

_____

_____

_____

Guest Name

_____

_____

Message To Treasure

_____

_____

_____

_____

_____

Guest Name

_____

_____

Message To Treasure

_____

_____

_____

_____

_____

GUEST NAME

_____

_____

MESSAGE TO TREASURE

_____

_____

_____

_____

GUEST NAME

_____

_____

MESSAGE TO TREASURE

_____

_____

MESSAGE TO TREASURE

_____

_____

_____

_____

GUEST NAME

_____

_____

MESSAGE TO TREASURE

_____

_____

_____

_____

GUEST NAME

_____

_____

MESSAGE TO TREASURE

_____

_____

_____

_____

GUEST NAME

_____

_____

MESSAGE TO TREASURE

_____

_____

_____

_____

_____

GUEST NAME

_____

_____

MESSAGE TO TREASURE

_____

_____

_____

_____

_____

GUEST NAME

_____

_____

MESSAGE TO TREASURE

_____

_____

_____

_____

_____

GUEST NAME

_____

_____

MESSAGE TO TREASURE

_____

_____

_____

_____

_____

GUEST NAME

_____

_____

MESSAGE TO TREASURE

_____

_____

_____

_____

GUEST NAME

_____

_____

MESSAGE TO TREASURE

_____

_____

_____

_____

GUEST NAME

_____

_____

MESSAGE TO TREASURE

_____

_____

_____

_____

GUEST NAME

_____

_____

MESSAGE TO TREASURE

_____

_____

_____

_____

Guest Name

_____

_____

Message To Treasure

_____

_____

_____

_____

Guest Name

_____

_____

Message To Treasure

_____

_____

_____

_____

Guest Name

_____

_____

Message To Treasure

_____

_____

_____

_____

Guest Name

_____

_____

Message To Treasure

_____

_____

_____

_____

GUEST NAME

_____

_____

MESSAGE TO TREASURE

_____

_____

_____

_____

_____

GUEST NAME

_____

_____

MESSAGE TO TREASURE

_____

_____

_____

_____

_____

GUEST NAME

_____

_____

MESSAGE TO TREASURE

_____

_____

_____

_____

_____

GUEST NAME

_____

_____

MESSAGE TO TREASURE

_____

_____

_____

_____

_____

GUEST NAME

_____

_____

MESSAGE TO TREASURE

_____

_____

_____

_____

_____

GUEST NAME

_____

_____

MESSAGE TO TREASURE

_____

_____

_____

_____

_____

GUEST NAME

_____

_____

MESSAGE TO TREASURE

_____

_____

_____

_____

_____

GUEST NAME

_____

_____

MESSAGE TO TREASURE

_____

_____

_____

_____

_____

Guest Name

_____
_____

Message To Treasure

_____
_____
_____
_____
_____

Guest Name

_____
_____

Message To Treasure

_____
_____
_____
_____
_____

Guest Name

_____
_____

Message To Treasure

_____
_____
_____
_____
_____

Guest Name

_____
_____

Message To Treasure

_____
_____
_____
_____
_____

GUEST NAME

_____

_____

MESSAGE TO TREASURE

_____

_____

_____

_____

_____

GUEST NAME

_____

_____

MESSAGE TO TREASURE

_____

_____

_____

_____

_____

GUEST NAME

_____

_____

MESSAGE TO TREASURE

_____

_____

_____

_____

GUEST NAME

_____

_____

MESSAGE TO TREASURE

_____

_____

_____

_____

GUEST NAME

_____

_____

MESSAGE TO TREASURE

_____

_____

_____

_____

_____

GUEST NAME

_____

_____

MESSAGE TO TREASURE

_____

_____

_____

_____

_____

GUEST NAME

_____

_____

MESSAGE TO TREASURE

_____

_____

_____

_____

_____

GUEST NAME

_____

_____

MESSAGE TO TREASURE

_____

_____

_____

_____

_____

GUEST NAME

_____

_____

MESSAGE TO TREASURE

_____

_____

_____

_____

_____

GUEST NAME

_____

_____

MESSAGE TO TREASURE

_____

_____

_____

_____

_____

GUEST NAME

_____

_____

MESSAGE TO TREASURE

_____

_____

_____

_____

_____

GUEST NAME

_____

_____

MESSAGE TO TREASURE

_____

_____

_____

_____

_____

GUEST NAME

_____

_____

MESSAGE TO TREASURE

_____

_____

_____

_____

_____

GUEST NAME

_____

_____

MESSAGE TO TREASURE

_____

_____

_____

_____

_____

GUEST NAME

_____

_____

MESSAGE TO TREASURE

_____

_____

_____

_____

_____

GUEST NAME

_____

_____

MESSAGE TO TREASURE

_____

_____

_____

_____

_____

Guest Name

_____

_____

Message To Treasure

_____

_____

_____

_____

Guest Name

_____

_____

Message To Treasure

_____

_____

_____

_____

Guest Name

_____

_____

Message To Treasure

_____

_____

_____

_____

Guest Name

_____

_____

Message To Treasure

_____

_____

_____

_____

GUEST NAME

_____

_____

MESSAGE TO TREASURE

_____

_____

_____

_____

GUEST NAME

_____

_____

MESSAGE TO TREASURE

_____

_____

_____

_____

GUEST NAME

_____

_____

MESSAGE TO TREASURE

_____

_____

_____

_____

GUEST NAME

_____

_____

MESSAGE TO TREASURE

_____

_____

_____

_____

Guest Name

_____

_____

Message To Treasure

_____

_____

_____

_____

Guest Name

_____

_____

Message To Treasure

_____

_____

_____

_____

Guest Name

_____

_____

Message To Treasure

_____

_____

_____

_____

Guest Name

_____

_____

Message To Treasure

_____

_____

_____

_____

GUEST NAME

_____

_____

MESSAGE TO TREASURE

_____

_____

_____

_____

GUEST NAME

_____

_____

MESSAGE TO TREASURE

_____

_____

_____

_____

GUEST NAME

_____

_____

MESSAGE TO TREASURE

_____

_____

_____

_____

GUEST NAME

_____

_____

MESSAGE TO TREASURE

_____

_____

_____

_____

GUEST NAME

_____

_____

MESSAGE TO TREASURE

_____

_____

_____

_____

GUEST NAME

_____

_____

MESSAGE TO TREASURE

_____

_____

_____

_____

GUEST NAME

_____

_____

MESSAGE TO TREASURE

_____

_____

_____

_____

GUEST NAME

_____

_____

MESSAGE TO TREASURE

_____

_____

_____

_____

GUEST NAME

_____

_____

MESSAGE TO TREASURE

_____

_____

_____

_____

_____

GUEST NAME

_____

_____

MESSAGE TO TREASURE

_____

_____

_____

_____

_____

GUEST NAME

_____

_____

MESSAGE TO TREASURE

_____

_____

_____

_____

_____

GUEST NAME

_____

_____

MESSAGE TO TREASURE

_____

_____

_____

_____

_____

GUEST NAME

_____

_____

MESSAGE TO TREASURE

_____

_____

_____

_____

GUEST NAME

_____

_____

MESSAGE TO TREASURE

_____

_____

_____

_____

GUEST NAME

_____

_____

MESSAGE TO TREASURE

_____

_____

_____

_____

GUEST NAME

_____

_____

MESSAGE TO TREASURE

_____

_____

_____

_____

GUEST NAME

_____

_____

MESSAGE TO TREASURE

_____

_____

_____

_____

GUEST NAME

_____

_____

MESSAGE TO TREASURE

_____

_____

_____

_____

GUEST NAME

_____

_____

MESSAGE TO TREASURE

_____

_____

_____

_____

GUEST NAME

_____

_____

MESSAGE TO TREASURE

_____

_____

_____

_____

Guest Name

_____

_____

Message To Treasure

_____

_____

_____

_____

_____

Guest Name

_____

_____

Message To Treasure

_____

_____

_____

_____

_____

Guest Name

_____

_____

Message To Treasure

_____

_____

_____

_____

_____

Guest Name

_____

_____

Message To Treasure

_____

_____

_____

_____

_____

GUEST NAME

_____

_____

MESSAGE TO TREASURE

_____

_____

_____

_____

_____

GUEST NAME

_____

_____

MESSAGE TO TREASURE

_____

_____

_____

_____

_____

GUEST NAME

_____

_____

MESSAGE TO TREASURE

_____

_____

_____

_____

_____

GUEST NAME

_____

_____

MESSAGE TO TREASURE

_____

_____

_____

_____

_____

GUEST NAME

_____

_____

MESSAGE TO TREASURE

_____

_____

_____

_____

_____

GUEST NAME

_____

_____

MESSAGE TO TREASURE

_____

_____

_____

_____

_____

GUEST NAME

_____

_____

MESSAGE TO TREASURE

_____

_____

_____

_____

_____

GUEST NAME

_____

_____

MESSAGE TO TREASURE

_____

_____

_____

_____

_____

GUEST NAME

_____

_____

MESSAGE TO TREASURE

_____

_____

_____

_____

_____

GUEST NAME

_____

_____

MESSAGE TO TREASURE

_____

_____

_____

_____

_____

GUEST NAME

_____

_____

MESSAGE TO TREASURE

_____

_____

_____

_____

_____

GUEST NAME

_____

_____

MESSAGE TO TREASURE

_____

_____

_____

_____

_____

GUEST NAME

_____

_____

MESSAGE TO TREASURE

_____

_____

_____

_____

_____

GUEST NAME

_____

_____

MESSAGE TO TREASURE

_____

_____

_____

_____

_____

GUEST NAME

_____

_____

MESSAGE TO TREASURE

_____

_____

_____

_____

_____

GUEST NAME

_____

_____

MESSAGE TO TREASURE

_____

_____

_____

_____

_____

GUEST NAME

_____

_____

MESSAGE TO TREASURE

_____

_____

_____

_____

GUEST NAME

_____

_____

MESSAGE TO TREASURE

_____

_____

_____

_____

GUEST NAME

_____

_____

MESSAGE TO TREASURE

_____

_____

_____

_____

GUEST NAME

_____

_____

MESSAGE TO TREASURE

_____

_____

_____

_____

GUEST NAME

_____

_____

MESSAGE TO TREASURE

_____

_____

_____

_____

_____

GUEST NAME

_____

_____

MESSAGE TO TREASURE

_____

_____

_____

_____

_____

GUEST NAME

_____

_____

MESSAGE TO TREASURE

_____

_____

_____

_____

_____

GUEST NAME

_____

_____

MESSAGE TO TREASURE

_____

_____

_____

_____

_____

GUEST NAME

_____

_____

MESSAGE TO TREASURE

_____

_____

_____

_____

_____

GUEST NAME

_____

_____

MESSAGE TO TREASURE

_____

_____

_____

_____

_____

GUEST NAME

_____

_____

MESSAGE TO TREASURE

_____

_____

_____

_____

_____

GUEST NAME

_____

_____

MESSAGE TO TREASURE

_____

_____

_____

_____

_____

GUEST NAME

_____

_____

MESSAGE TO TREASURE

_____

_____

_____

_____

_____

GUEST NAME

_____

_____

MESSAGE TO TREASURE

_____

_____

_____

_____

_____

GUEST NAME

_____

_____

MESSAGE TO TREASURE

_____

_____

_____

_____

_____

GUEST NAME

_____

_____

MESSAGE TO TREASURE

_____

_____

_____

_____

_____

Guest Name

_____

_____

Message To Treasure

_____

_____

_____

_____

Guest Name

_____

_____

Message To Treasure

_____

_____

_____

_____

Guest Name

_____

_____

Message To Treasure

_____

_____

_____

_____

Guest Name

_____

_____

Message To Treasure

_____

_____

_____

_____

GUEST NAME

_____

_____

MESSAGE TO TREASURE

_____

_____

_____

_____

_____

GUEST NAME

_____

_____

MESSAGE TO TREASURE

_____

_____

_____

_____

_____

GUEST NAME

_____

_____

MESSAGE TO TREASURE

_____

_____

_____

_____

_____

GUEST NAME

_____

_____

MESSAGE TO TREASURE

_____

_____

_____

_____

_____

Guest Name

_____

Message To Treasure

_____

_____

_____

_____

Guest Name

_____

Message To Treasure

_____

_____

_____

_____

Guest Name

_____

Message To Treasure

_____

_____

_____

_____

Guest Name

_____

Message To Treasure

_____

_____

_____

_____

Guest Name

_____

_____

Message To Treasure

_____

_____

_____

_____

_____

Guest Name

_____

_____

Message To Treasure

_____

_____

_____

_____

_____

Guest Name

_____

_____

Message To Treasure

_____

_____

_____

_____

_____

Guest Name

_____

_____

Message To Treasure

_____

_____

_____

_____

_____

GUEST NAME

_____

_____

MESSAGE TO TREASURE

_____

_____

_____

_____

GUEST NAME

_____

_____

MESSAGE TO TREASURE

_____

_____

_____

_____

GUEST NAME

_____

_____

MESSAGE TO TREASURE

_____

_____

_____

_____

GUEST NAME

_____

_____

MESSAGE TO TREASURE

_____

_____

_____

_____

GUEST NAME

_____

_____

MESSAGE TO TREASURE

_____

_____

_____

_____

GUEST NAME

_____

_____

MESSAGE TO TREASURE

_____

_____

_____

_____

GUEST NAME

_____

_____

MESSAGE TO TREASURE

_____

_____

_____

_____

GUEST NAME

_____

_____

MESSAGE TO TREASURE

_____

_____

_____

_____

GUEST NAME

_____

_____

MESSAGE TO TREASURE

_____

_____

_____

_____

GUEST NAME

_____

_____

MESSAGE TO TREASURE

_____

_____

_____

_____

GUEST NAME

_____

_____

MESSAGE TO TREASURE

_____

_____

_____

_____

GUEST NAME

_____

_____

MESSAGE TO TREASURE

_____

_____

_____

_____

GUEST NAME

_____

_____

MESSAGE TO TREASURE

_____

_____

_____

_____

_____

GUEST NAME

_____

_____

MESSAGE TO TREASURE

_____

_____

_____

_____

_____

GUEST NAME

_____

_____

MESSAGE TO TREASURE

_____

_____

_____

_____

_____

GUEST NAME

_____

_____

MESSAGE TO TREASURE

_____

_____

_____

_____

_____

GUEST NAME

_____

_____

MESSAGE TO TREASURE

_____

_____

_____

_____

GUEST NAME

_____

_____

MESSAGE TO TREASURE

_____

_____

_____

_____

GUEST NAME

_____

_____

MESSAGE TO TREASURE

_____

_____

_____

_____

GUEST NAME

_____

_____

MESSAGE TO TREASURE

_____

_____

_____

_____

Guest Name

_____

_____

Message To Treasure

_____

_____

_____

_____

_____

Guest Name

_____

_____

Message To Treasure

_____

_____

_____

_____

_____

Guest Name

_____

_____

Message To Treasure

_____

_____

_____

_____

_____

Guest Name

_____

_____

Message To Treasure

_____

_____

_____

_____

_____

GUEST NAME

_____

_____

MESSAGE TO TREASURE

_____

_____

_____

_____

GUEST NAME

_____

_____

MESSAGE TO TREASURE

_____

_____

_____

_____

GUEST NAME

_____

_____

MESSAGE TO TREASURE

_____

_____

_____

_____

GUEST NAME

_____

_____

MESSAGE TO TREASURE

_____

_____

_____

_____

GUEST NAME

_____

_____

MESSAGE TO TREASURE

_____

_____

_____

_____

GUEST NAME

_____

_____

MESSAGE TO TREASURE

_____

_____

_____

_____

GUEST NAME

_____

_____

MESSAGE TO TREASURE

_____

_____

_____

_____

GUEST NAME

_____

_____

MESSAGE TO TREASURE

_____

_____

_____

_____

GUEST NAME

_____

_____

MESSAGE TO TREASURE

_____

_____

_____

_____

GUEST NAME

_____

_____

MESSAGE TO TREASURE

_____

_____

_____

_____

GUEST NAME

_____

_____

MESSAGE TO TREASURE

_____

_____

_____

_____

GUEST NAME

_____

_____

MESSAGE TO TREASURE

_____

_____

_____

_____

GUEST NAME

_____

_____

MESSAGE TO TREASURE

_____

_____

_____

_____

_____

GUEST NAME

_____

_____

MESSAGE TO TREASURE

_____

_____

_____

_____

_____

GUEST NAME

_____

_____

MESSAGE TO TREASURE

_____

_____

_____

_____

_____

GUEST NAME

_____

_____

MESSAGE TO TREASURE

_____

_____

_____

_____

_____

GUEST NAME

_____

_____

MESSAGE TO TREASURE

_____

_____

_____

_____

GUEST NAME

_____

_____

MESSAGE TO TREASURE

_____

_____

_____

_____

GUEST NAME

_____

_____

MESSAGE TO TREASURE

_____

_____

_____

_____

GUEST NAME

_____

_____

MESSAGE TO TREASURE

_____

_____

_____

_____

Guest Name

_____

_____

Message To Treasure

_____

_____

_____

_____

_____

Guest Name

_____

_____

Message To Treasure

_____

_____

_____

_____

_____

Guest Name

_____

_____

Message To Treasure

_____

_____

_____

_____

_____

Guest Name

_____

_____

Message To Treasure

_____

_____

_____

_____

_____

GUEST NAME

_____

_____

MESSAGE TO TREASURE

_____

_____

_____

_____

_____

GUEST NAME

_____

_____

MESSAGE TO TREASURE

_____

_____

_____

_____

_____

GUEST NAME

_____

_____

MESSAGE TO TREASURE

_____

_____

_____

_____

_____

GUEST NAME

_____

_____

MESSAGE TO TREASURE

_____

_____

_____

_____

_____

Guest Name

_____

_____

Message To Treasure

_____

_____

_____

_____

_____

Guest Name

_____

_____

Message To Treasure

_____

_____

_____

_____

_____

Guest Name

_____

_____

Message To Treasure

_____

_____

_____

_____

_____

Guest Name

_____

_____

Message To Treasure

_____

_____

_____

_____

_____

GIFT GIVER

_____

_____

_____

_____

_____

_____

_____

_____

_____

_____

_____

_____

_____

_____

GIFT DESCRIPTION

_____

_____

_____

_____

_____

_____

_____

_____

_____

_____

_____

_____

_____

_____

GIFT GIVER

GIFT DESCRIPTION

_____   _____

_____   _____

_____   _____

_____   _____

_____   _____

_____   _____

_____   _____

_____   _____

_____   _____

_____   _____

_____   _____

_____   _____

_____   _____

GIFT GIVER

GIFT DESCRIPTION

_____	_____
_____	_____
_____	_____
_____	_____
_____	_____
_____	_____
_____	_____
_____	_____
_____	_____
_____	_____
_____	_____
_____	_____
_____	_____
_____	_____

GIFT GIVER

_____

_____

_____

_____

_____

_____

_____

_____

_____

_____

_____

_____

_____

_____

_____

GIFT DESCRIPTION

_____

_____

_____

_____

_____

_____

_____

_____

_____

_____

_____

_____

_____

_____

_____

GIFT GIVER

GIFT DESCRIPTION

_____   _____

_____   _____

_____   _____

_____   _____

_____   _____

_____   _____

_____   _____

_____   _____

_____   _____

_____   _____

_____   _____

_____   _____

_____   _____

_____   _____

GIFT GIVER

_____

_____

_____

_____

_____

_____

_____

_____

_____

_____

_____

_____

_____

_____

GIFT DESCRIPTION

_____

_____

_____

_____

_____

_____

_____

_____

_____

_____

_____

_____

_____

_____

GIFT GIVER

GIFT DESCRIPTION

_____	_____
_____	_____
_____	_____
_____	_____
_____	_____
_____	_____
_____	_____
_____	_____
_____	_____
_____	_____
_____	_____
_____	_____
_____	_____
_____	_____

GIFT GIVER

_____

_____

_____

_____

_____

_____

_____

_____

_____

_____

_____

_____

_____

GIFT DESCRIPTION

_____

_____

_____

_____

_____

_____

_____

_____

_____

_____

_____

_____

_____

GIFT GIVER

GIFT DESCRIPTION

GIFT GIVER

GIFT DESCRIPTION

_____

_____

_____

_____

_____

_____

_____

_____

_____

_____

_____

_____

Picture Memories

PICTURE MEMORIES

PICTURE MEMORIES

Picture Memories

Picture Memories

Picture Memories

PICTURE MEMORIES

PICTURE MEMORIES

PICTURE MEMORIES

PICTURE MEMORIES

_____

_____

_____

Picture Memories

Picture Memories

Picture Memories

_____

Picture Memories

Picture Memories

PICTURE MEMORIES

PICTURE MEMORIES

PICTURE MEMORIES

PICTURE MEMORIES

Picture Memories

Picture Memories

PICTURE MEMORIES

Picture Memories

PICTURE MEMORIES

Picture Memories

Picture Memories

Picture Memories

Picture Memories

_____

_____

Picture Memories

PICTURE MEMORIES

goodbye

Made in the USA
Coppell, TX
30 December 2021